Conni und das neue Baby

Eine Geschichte von
Liane Schneider
mit Bildern von
Eva Wenzel-Bürger

CARLSEN

Seltsam, Mama wird immer dicker. Connis Arme
passen gar nicht mehr um Mamas Bauch.
»Du musst weniger essen«, meint Conni. Aber
Mama lacht.
»Ich will dir ein Geheimnis verraten«, sagt sie, »In
meinem Bauch wächst ein Baby.«
Conni kann es gar nicht glauben. Sie hat tausend
Fragen. Wie ist das Baby da reingekommen? Wie
soll es heißen? Wie kommt es da raus?

Conni will, dass das Baby in ihrem Zimmer schläft. Mama findet die Idee gut. Sie sehen sich gleich im Kinderzimmer um. Aus dem Spielzeugschrank kann man wieder eine Wickelkommode machen. Aber wo ist Platz für das Gitterbettchen? Conni mag nicht auf ihren Maltisch verzichten, nicht auf den Kaufmannsladen und nicht auf das Puppenhaus. Da hat Mama eine Idee. Sie will ein Hochbett kaufen. Das findet Conni toll. Dann kann sie über eine Leiter ins Bett klettern und unter dem Bett eine Höhle bauen.

Es dauert lange, bis das Baby kommt. Conni wird allmählich ungeduldig. Vielleicht wächst da gar kein Baby? Conni darf ihre Hände auf Mamas Bauch legen. Jetzt kann sie es deutlich spüren. Da drin zappelt etwas. »Es will raus«, sagt Conni. »Das dauert noch«, sagt Mama. Sie zeigt Conni in einem Buch, wie ein Baby im Bauch ganz langsam wächst.

Dann geht Mama mit Conni auf den Speicher. In Kartons liegen Connis Babysachen, Conni staunt, wie klein die Strampelanzüge sind. Sie kann gar nicht glauben, dass sie da einmal reingepasst haben soll. Sie findet ihren alten Brummkreisel, mit dem sie früher immer so gern gespielt hat. An den Stoffclown kann sie sich gar nicht mehr erinnern.

Sie steckt ihn unter ihr Kleid.
»Guck mal, Mama, ich bekomme
ein Baby«, ruft sie und lässt den
Clown herunterplumpsen.
Mama lacht.

Conni überlegt, wie es wohl sein wird mit einem Baby. Sie hat ein bisschen Angst, dass Mama dann nur noch das Baby lieb hat. Aber Mama nimmt sie in den Arm: Sie wird Conni immer lieb haben.

Conni guckt nun neugierig in alle Kinderwagen und erzählt stolz, dass sie auch bald ein Baby haben werden.

Endlich wird Connis Zimmer umgeräumt. Papa und Onkel Andreas bauen das Hochbett auf und stellen das Gitterbett hin.

Mama näht eine Krabbeldecke. Conni möchte auch etwas für das Baby tun. Sie malt eine große, bunte Blumenwiese.

Mama hängt das Bild
über die Wickelkommode.
Das Baby ist immer noch
nicht da.

Doch mit einem Mal spürt Mama so ein regel-
mäßiges Ziehen im Bauch. Das Baby will raus.
Mama muss ins Krankenhaus. Papa ruft Oma an.
Sie bleibt bei Conni. Papa fährt mit Mama.

Conni möchte auch gern bei Mama sein. Sie hat etwas Angst. Ob es Mama wehtut? Gut, dass Oma da ist und mit ihr spielt. Endlich ruft Papa an: »Es ist da! Es ist ein Junge!«

Am Nachmittag fährt Oma mit Conni ins Krankenhaus. Conni sieht zuerst Mama. Etwas müde liegt sie im weißen Krankenhausbett. Sie gibt Conni einen Kuss. Nun entdeckt Conni auch das Baby. Es ist ganz klein und hat hellbraune Haarfusseln. Mama sagt, dass das Baby Jakob heißen soll. Conni berührt mit einem Finger vorsichtig Jakobs Händchen. Der kleine Bruder packt sofort zu und hält den Finger fest. Conni hat ihn gleich lieb.

Mama und Jakob bleiben noch ein paar Tage im Krankenhaus. Conni und Papa besuchen sie jeden Tag. Conni sieht, wie das Baby an Mamas Brust trinkt.

Conni will Mamas Milch auch mal probieren. Sie schmeckt süß, aber Conni mag richtige Milch lieber. Sie sieht zu, wie Jakob gewogen und gewickelt wird.

Zu Hause übt Conni mit ihrer Babypuppe. Sie will Mama ja helfen können. Papa muss das Wickeln auch üben. Schließlich kommen Mama und Jakob nach Hause. Conni freut sich, dass sie nun eine große Schwester ist. Sie hilft beim Baden und Eincremen, doch das Wickeln müssen Mama oder Papa machen. Der Bruder strampelt einfach viel mehr als die Babypuppe. Aber ganz stolz schiebt Conni den Kinderwagen.